Die Löwenkinder

Ein Bilderbuch von Jozef Wilkon
erzählt von Janosch

BELTZ
&Gelberg

Es war einmal ein alter,
dicker Brummellöwe, der wohnte im Käfig im Zoo,
blinzelte den ganzen Tag durch die Gitterstäbe
und wärmte sich in der Sonne.
Kaum, dass er sich einmal bewegte.

Der alte, dicke Brummellöwe
hatte aber drei Söhne: Brimmel, Brummel und Löwenzahn.
Ihnen gefiel es nicht so richtig im Löwenkäfig,
denn nie geschah etwas.

Sie hatten
freilich auch eine Löwenmutter
und kletterten auf ihr herum.
Stiegen hinauf, ließen sich herunterrollen,
sprangen einander auf den Kopf
und boxten sich mit ihren Pfoten.
Brimmel besiegte den Brummel
und Brummel besiegte den Löwenzahn.
Aber sonst geschah nichts.

Und dann eines Tages
(es war genau an einem Vormittag)
schlich sich mit mit einem Mal, heimlich
und auf leisen Sohlen, Pampelpam Pavian,
der Löwenkinderdieb, heran,
öffnete die Gittertür und stahl sie alle drei,
den Brimmel, den Brummel
und den Löwenzahn.

Er band sie
an drei blaue Schnüre, knotete
sie an einen Gitterstab, damit
sie nicht entfliehen konnten,
und freute sich, denn so
einen guten Fang hatte er
noch nie gemacht.
Darüber schlief er ein.

Jeden Tag um diese Zeit aber
ging Lilli, die Tochter
des Oberfuttermeisters, durch
den Zoo, um kleine Tiere
zu streicheln und Vogelfutter
zu verstreuen.
»Der Brimmel, der Brummel
und der Löwenzahn an einer
blauen Schnur festgeknotet
im Affenkäfig?«, sagte sie.
»Da stimmt doch etwas nicht.«
Und sie knotete die drei
leise und unauffällig los,
ohne Pampelpam Pavian,
den Löwenkinderdieb,
zu wecken.
»Nun geht zurück zu eurer
Mutter!«, sagte sie.

Aber das taten sie nicht.
Der Brimmel, der Brummel und der Löwenzahn
wollten lieber nach Afrika, nach Indien
und in die weite Welt, Abenteuer erleben,
auf Bäume klettern.
Sie gingen an den Pfauenvögeln vorbei
und an den Papageien. Brimmel wollte den Dachs
mit der Pfote berühren,
aber es war ein Gitter davor.

Mit einem Mal standen sie
vor einem großen, riesengrauen Haus,
das stand auf vier dicken Säulen.
Dem Löwenzahn wurde es schwindelig,
wenn er hinaufsah.
Aber das Haus war gar kein Haus,
denn ein Haus hat keinen Rüssel.
Es war nämlich ein Elefant.
Hundert Mal größer
als die Löwenmutter,
tausend Mal größer als
ein Dachs.

Den Affen
sollte man lieber aus dem Weg gehen!
Vielleicht sind sie auch Löwendiebe wie der Pavian,
und überhaupt haben sie immer nur
Unfug im Sinn.

Jetzt geschah etwas ganz Seltsames!
Mit einem Mal waren sie doppelt. Sie guckten sich selber ins
Gesicht und standen sich selber gegenüber.

Nur waren sie jetzt gestreift und waren
drei Tigerkinder. Und hießen Bene, Bone und Wrangelchen.
Das war ja unheimlich, da sollten sie lieber weitergehen!

Sie trafen dann das Känguru.
Es saß bei seiner Kängurumutter in einem Beutel
und wärmte sich. Wenn es regnete, konnte es
hineinkriechen und wurde nicht nass.
Wenn die Mutter über die Wiese hüpfte,
hüpfte es immer mit.
Das war ein schönes Leben.

Die Giraffe ist so hoch wie ein Baum.
Aber sie kann den Kopf
ganz tief herunterholen.

»Sag mir mal was ins Ohr!«, sagte sie.
Und der Brummel
brummte in Löwensprache: »Brrrlbrrmm.«
Das verstand die Giraffe nicht.

Mit einem Mal
wurde es Nacht
und finster:
Die drei bekamen
Angst, rannten schnell
zurück zum Käfig
und krochen
zu ihrer Mutter
unters Fell.
Das wärmt.

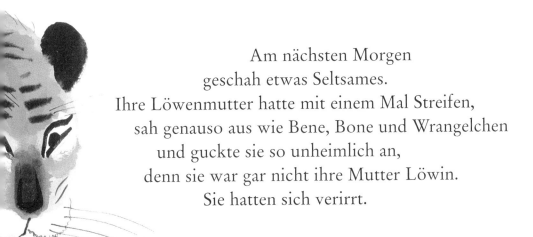

Am nächsten Morgen
geschah etwas Seltsames.
Ihre Löwenmutter hatte mit einem Mal Streifen,
sah genauso aus wie Bene, Bone und Wrangelchen
und guckte sie so unheimlich an,
denn sie war gar nicht ihre Mutter Löwin.
Sie hatten sich verirrt.

Aber auch Bene, Bone und Wrangelchen
wunderten sich.
Ihre Mutter sah auf einmal aus wie eine Löwin.
Jetzt wussten sie nicht mehr, was sie tun sollten,
denn sie hatten sich auch verirrt.

Und wäre Benedikt, der oberste Zoowächter,
nicht gekommen und hätte sie umgetauscht:
die Löwen zu der Löwenmutter, die Tiger zu der
Tigermutter – ich weiß nicht,
wie das noch hätte werden sollen!

Jozef Wilkon, geboren 1930 bei Krakau (Polen), ist einer
der bekanntesten polnischen Illustratoren und illustrierte an
die hundert Kinderbücher.

Janosch, geboren 1931 in Zaborze (heute Polen, damals Oberschlesien),
ist hierzulande einer der berühmtesten Kinderbuchautoren. Sein Buch
Oh, wie schön ist Panama, 1978 ausgezeichnet mit dem Deutschen Jugendliteraturpreis,
machte ihn weltberühmt. Janosch lebt in seinem Paradies, einem alten
Backofenhaus, hoch in den Bergen von Teneriffa.

M NI AX

Herausgegeben in Zusammenarbeit mit dem Moritz Verlag
von Markus Weber

www.beltz.de
Erstmals als MINIMAX bei Beltz & Gelberg im August 2011

© 2011 Beltz & Gelberg
in der Verlagsgruppe Beltz · Weinheim Basel
Alle Rechte für diese Ausgabe vorbehalten
© 1967 Jozef Wilkon (Bilder)
Textrechte mit freundlicher Genehmigung der
Janosch film & medien AG, Berlin
Dieses Buch ist erstmals 1968 im Middelhauve Verlag erschienen
Neue Rechtschreibung
Gesamtherstellung: Beltz Druckpartner, Hemsbach
Printed in Germany
ISBN 978-3-407-76103-3
1 2 3 4 5 14 13 12 11